NOTE DE L'ÉDITEUR

Vous trouverez dans chaque volume de la série
CARD CAPTOR SAKURA
une carte marque-page représentant les personnages de la série.
Collectionnez-les et gardez-les précieusement...
Elles vous seront très utiles !

CARD CAPTOR
SAKURA VOL. 3

CLAMP

Card Captor Sakura, Vol. 3
a été réalisé par

CLAMP

SATSUKI IGARASHI
NANASE OHKAWA
MICK NEKOI
MOKONA APAPA

CLOW CARD

QUAND LE SCEAU SERA BRISÉ

SUR CE MONDE S'ABATTRA LE FLÉAU...

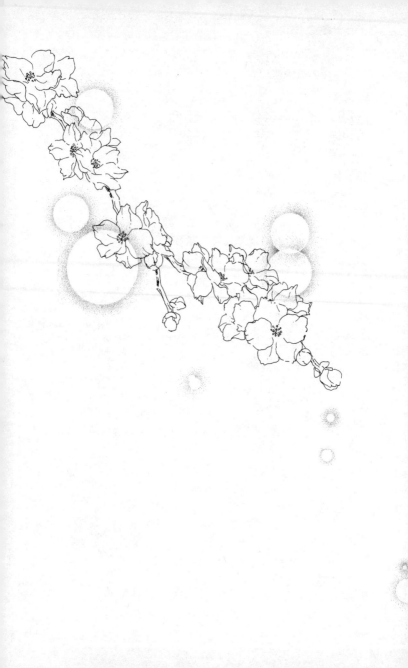

OH HHH

JE VAIS
MOURIIIR DE
BONHEUR
!!!!

9

CHIHARU MIHARA

DATE DE NAISSANCE
28 MAI

GROUPE SANGUIN
O

MATIÈRES PRÉFÉRÉES
FRANÇAIS, PEINTURE

MATIÈRE DÉTESTÉE
MATHS

INSCRITE EN SECTION
MAJORETTE

COULEUR FAVORITE
JAUNE

FLEUR PRÉFÉRÉE
FREESIA

METS FAVORIS
OMELETTE AU RIZ,
CRÈME GLACÉE

PLAT DÉTESTÉ
POIVRON

SAIT CUISINER
LE RIZ AU CURRY

AIMERAIT BIEN
UN RUBAN POUR
LES CHEVEUX

Chiharu Mihara

OH, QU'IL EST MIGNON !

TU SAIS, LES MANCHOTS EMPEREURS, UNE FOIS ADULTES, MESURENT PRÈS DE 1 M 70 !

1m 70cm

YAMAZAKI, TU DIS ENCORE DES BÊTISES.

MAIS SI, C'EST VRAI ! HA HA HA

ON LE NOMME EMPEREUR PARCE QU'IL EST GÉANT ! LE PLUS GRAND QU'ON A DÉCOUVERT FAISAIT TROIS MÈTRES !

3m

ELLE COMMENCE À Y CROIRE !

AH, SAKURA !

20

SALUT !

BONJOUR !

BONJOUR

BONJOUR

TU SEMBLES DE BONNE HUMEUR.

OUI, J'AI PASSÉ UNE JOURNÉE FABULEUSE HIER.

♡

JE... SAKURA.

HIER, TU ES PASSÉE DANS LA RUE DU MARCHAND DE PELUCHES ?

WOE?

OUI, JE SUIS ALLÉE ACHETER DU PAIN DANS LA GALERIE, MAIS ...

APRÈS JE SUIS RENTRÉE FAIRE LE MÉNAGE !

ALORS, FAISONS UN MATCH POUR VOIR...

QUI COMMENCE ?

BON, VOUS AVEZ TOUS COMPRIS LES RÈGLES ?

OUIIIII

LI ? TRÈS BIEN !

TON ADVERSAIRE SERA...

FLIP

FLIP

HÉ ?

26

C'ÉTAIT UN VÉRITABLE DUEL !

DIRE QU'AUCUN DE NOUS DEUX N'A GAGNÉ...

MAL AU BRAS...

COMBIEN DE TEMPS AURA DURÉ VOTRE ÉCHANGE ?

JUSQU'À LA FIN DU COURS D'ÉDUCATION PHYSIQUE !

AU FAIT, LA PROCHAINE FOIS TU ME LAISSERAS TE COUPER LES CHEVEUX !

MÊME SI, LÀ, C'EST TRÈS RÉUSSI !

MAIS POURQUOI ?

OUI, BIEN SÛR...

HIHI

HEIN
?!

QUE
SE PASSE-
T-IL
?

QUELLE
AGITATION
!

TAP TAP TAP

SAKURA
!

HUF
HUF

35

UN SOSIE DE MA SAKURA ?

ET ELLE A MIS LE MAGASIN SENS DESSUS DESSOUS.

HUM

HUM

TOUT LE MONDE VA CROIRE QUE JE SUIS UNE CRAPULE

TRÈS BIEN,

ESSAYONS LA DIVINATION.

THE CLOW

THE CLOW

CLIC

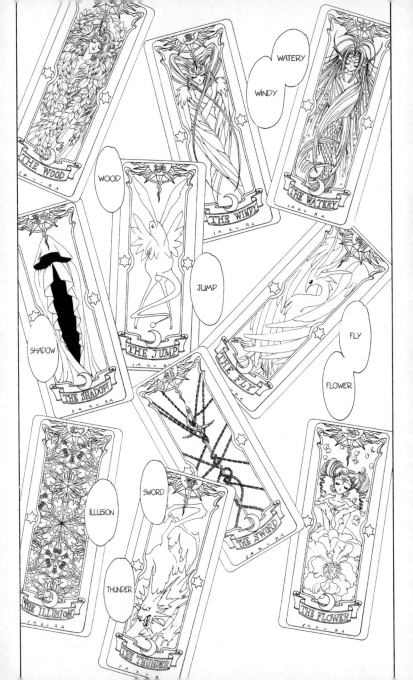

WINDY
!

JE M'EN DOUTAIS ...

HEIN ?

WINDY EST UNE CARTE SYMBOLISANT LA TRANSMISSION DU SAVOIR, L'INFORMATION.

TU TE DOUTAIS DE QUOI ?

LES CARTES NOUS PARLENT DE TOI, SAKURA.

ELLES SAVENT QUE TU CHERCHES À LES CAPTURER.

SOUVIENS-TOI DE TA COPINE, LA PETITE RIKA. SOUS L'EMPRISE DE LA CARTE SWORD, ELLE EST VENUE TE TROUVER CHEZ TOI, N'EST-CE PAS ?

EUH... OUI !

JUSQU'À PRÉSENT, LES CARTES NE SONT PAS INTERVENUES DANS TA VIE QUOTIDIENNE MAIS, LÀ, C'EST DIFFÉRENT.

CETTE ÉPÉE T'A CLAIREMENT PRISE POUR CIBLE.

MAIS, ALORS, POURQUOI ELLE NE S'EST PAS DÉCLARÉE QUAND JE SUIS ALLÉE L'ACHETER ?

C'ÉTAIT PLUS RAPIDE !

SE SERVIR DE TON AMIE, C'EST UNE FAÇON DE T'EMPÊCHER DE RÉPLIQUER, PAS VRAI ?

OH...

ÇA VEUT DIRE QUE TON CARACTÈRE NE LEUR EST PAS INCONNU.

ET SHADOW, ALORS, IL NE M'A PAS DU TOUT VISÉE !

L'ÉTAGÈRE EST TOMBÉE SUR DES FILLES QUE JE NE CONNAIS MÊME PAS.

MAIS, AU FINAL, IL A BLESSÉ TON FRÈRE TOYA QUI TRAVAILLAIT LÀ.

44

ELLE SAVENT AUSSI QUE J'AI UN FRÈRE ?

REGARDE À TRAVERS LES CARTES POUR COMPRENDRE LE BUT DE SHADOW.

FLIP

SWORD !

THE SWORD

ELLE PEUT AUSSI SIGNIIFIER ÉPRUEVE OU CONFRONTA-TION.

LA FILLE QUI ME RESSEMBLE EST-ELLE UNE CLOW CARD ?

IL Y A DE GRANDES CHANCES.

RETOURNE CES TROIS-LÀ.

SHADOW

WATERY

ILLUSION

SAKURA,

TU ES VRAIMENT EN RETARD. TU VAS AU SPORT ?

SAKURA
?

JE N'Y COMPRENDS RIEN, PEU-CHÈRE !

BON... ALORS, RETOURNE LA DERNIÈRE CARTE, CELLE QUI N'EST PAS ALIGNÉE AVEC LES AUTRES. ON SAURA AU MOINS QUEL EST LE DANGER IMMINENT.

FLOWER

THE FLOWER

LES FLEURS DE PÊCHER.

MON GRAND FRÈRE EST EN DANGER ?!

❀ À SUIVRE ❀

MAIS, SAKURA, TU NE SAIS PAS OÙ LA CARTE VA DÉCLENCHER SON ATTAQUE.

JE NE SAIS PAS POURQUOI,

MAIS JE CROIS QUE C'EST PAR LÀ.

TA FORCE MAGIQUE A ENCORE AUGMENTÉ, SAKURA.

54

JE SENS LA PRÉSENCE DE NOMBREUSES PERSONNES.

MAIS IL NE S'AGIT PAS D'ÊTRES HUMAINS.

JE RESSENS QUELQUE CHOSE DE NÉGATIF.

IL PARAÎT QUE L'ENDROIT EST HANTE.

AH ? CE SONT DES FANTÔ...

OUPS

ILS T'ONT FAIT PERDRE LA PISTE DE LA CARTE.

FROUCH
FROUCH
FROUCH

SAKURA
...

MON
FRÈRE
...

SNIF
SNIF

QUOI ?
ENCORE
TOI
?

HÉ, FAUDRAIT COURIR PLUS VITE !

ET PUIS POURQUOI TU M'AS COLLÉ CE SAC À DOS ?

FACILE, POUR TOI !

PARCE QUE YA URGENCE, PARDI !

ON NE PEUT PAS UTILISER LA MAGIE FLY À CAUSE DU GRAND NOMBRE D'ARBRES.

ALLEZ, DÉPÊCHEZ-VOUS !

GRAND FRÈRE !

AU FAIT,

PUISQUE JE CHERCHE CE QUE TU AS PERDU.

VOUDRAIS-TU ABANDONNER L'APPARENCE DE SAKURA ?

J'AI L'IMPRESSION QUE MA SŒUR EST DEVENUE UN FANTÔME

ET C'EST UNE SENSATION DÉSAGRÉABLE.

QUAND AS-TU COMPRIS QUE JE N'ÉTAIS PAS TA SŒUR ?

TU LUI RESSEMBLES VRAIMENT, ET J'AI FAILLI Y CROIRE,

MAIS J'AI TOUT DE SUITE COMPRIS QUE TU N'ÉTAIS PAS UN ÊTRE VIVANT.

ET PUIS, NNG

ON DIT DE CE BOIS QU'IL EST HANTÉ...

IL SEMBLE QUE TU AS ENCORE À FAIRE DANS NOTRE MONDE.

JE VAIS T'ACCOMPA-GNER JUSQU'À CE QU'ON TROUVE TON OBJET... MAIS APRÈS,

TU DOIS PARTIR.

IL Y A MA MAMAN LÀ-BAS... TU L'EMBRASSERAS POUR MOI !

OÙ ÇA ?

74

HÉ BÉ, ÉVIDEM-MENT !

COMMENT LA FAIRE REDEVENIR CARTE ?

CETTE CARTE NE PEUT ÊTRE RÉDUITE PAR LA VOIE HABITUELLE.

ON DOIT DÉCOUVRIR SON IDENTITÉ.

LES CARTES SPÉCIALES PERDENT LEUR FORCE QUAND ON LES APPELLE PAR LEUR NOM.

NI LES INVOCATIONS NI LES SORTS D'ATTAQUE NE FONCTIONNENT. C'EST UNE CARTE PARTICULIÈRE.

NE T'EN APPROCHE PAS, IMBÉCILE !

COMMENT ÇA, IMBÉCILE ?

CHEZ NOUS, DANS LE SUD IMBÉCILE ÇA FÂCHE, TÉ

DE QUÔA ?

TU ES LA SŒUR DE CE GARÇON, HEIN ?

OUI !

ET TU LUI AS FAIT DES MÉCHANCETÉS !

!?

SAKURA, IL FAUT ABSOLUMENT QUE TU SACHES DE QUELLE CARTE IL S'AGIT !

QUAND ON A TIRÉ LES CARTES...

ON A OBTENU L'UNE APRÈS L'AUTRE ILLUSION, WATERY ET SHADOW.

CES TROIS CARTES DEVRAIENT ME METTRE SUR LA VOIE.

ELLE M'IMITE ?

EXACTEMENT COMME...

PARDONNE-
MOI
!

REPRENDS
LA FORME QUI
EST TIENNE
!

FLASH

CLOW
CARD
!

VLOUP

GRAND FRÈRE !

STAP

HÉ BÉ, TU AS TROUVÉ !

C'ÉTAIT MIRROR !

C'EST PARCE QU'ELLE IMITAIT TOUT CE QUE JE FAISAIS.

MAIS ...

ON DIRAIT QU'ELLE A AGI DE MANIÈRE À CE QUE JE COMPRENNE.

THE MIRROR

ET ELLE A
DEMANDÉ PARDON
À MON FRÈRE.

ELLE AVAIT
PEUT-ÊTRE DES
REMORDS,
PEUCHÈRE.

GLOP

JE TE DIS QUE JE PEUX DESCENDRE MANGER.

TU AS ENCORE MAL À LA JAMBE ALORS TU NE DOIS PAS MARCHER !

IL MIME LA PELUCHE

HEM

CONCENTRÉ À MORT

GLUPS

IL SE CONCENTRE À FOND

ET LUI, LÀ ?

POUR
RIEN,
MAIS...

PARDON
!

POUR
QUOI
?

VLAM

TAP
TAP
TAP
TAP
TAP
TAP
TAP
TAP

YA RIEN
À MANGER
AVEC CE
PANCAKE
?

ÇA NE TE RESSEMBLE PAS DE TOMBER D'UNE FALAISE !

JE PENSAIS QUE ÇA T'ENNUIERAIT DE NE PLUS BOUGER. ALORS, JE T'AI APPORTÉ UN ROMAN.

C'EST LA VIE.

TU M'AS SOUVENT DIT, TOYA, QUE TU SENTAIS QUELQUE CHOSE DANS CE BOIS...

C'EST PEUT-ÊTRE LE RÉSULTAT DE TA RENCONTRE AVEC CE QUE JE PENSE...

TU ES BON

TOYA !

HOP

GLOP

MIAM MIAM MIAM MIAM

UN DÉLICE ! C'EST SAKURA QUI L'A FAIT !

CHUT

IL EST INTIMIDÉ

MAIS C'EST VRAIMENT DOMMAGE...

QUOI DONC ?

JE N'AI PAS PU FILMER TA VICTOIRE.

FLOWER, SWORD

AVEC MIRROR, CELA FAIT LA TROISIÈME FOIS.

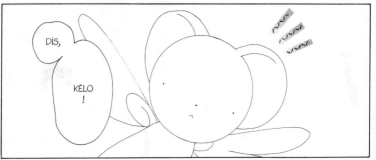

DIS,

KÉLO !

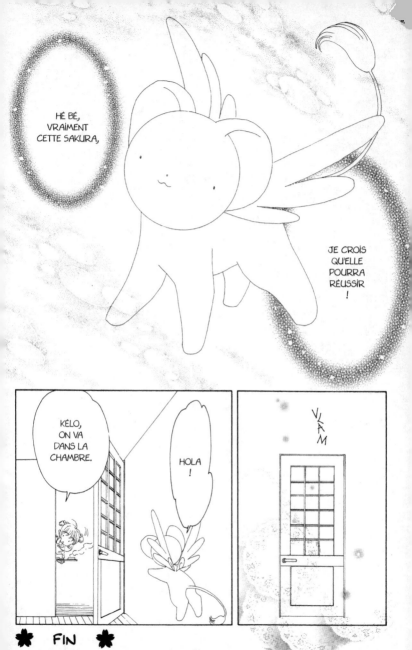

HÉ BÉ,
VRAIMENT
CETTE SAKURA,

JE CROIS
QU'ELLE
POURRA
RÉUSSIR
!

KÉLO,
ON VA
DANS LA
CHAMBRE.

HOLA
!

VLAM

❀ FIN ❀

FLASH-BACK

HEIN ?
VENIR
CHEZ TOI,
TOMOYO ?

C'EST
QUE J'AI
UN PETIT
ENNUI...

ACCEPTERAIS-
TU DE PASSER
LA JOURNÉE DE
DIMANCHE À
LA MAISON
?

WOÉ ?

FIN DU
FLASH-BACK

QUE LUI
EST-IL
ARRIVÉ
?

J'EN
PEUX
PLUS
!

HUF

ZAG ZIG ZAG ZIG ZAG

P O P

NON, PAS MAINTENANT KÉLO !

HÉ POURQUOI, PEUCHÈRE ? Y A PLUS D'AIR DANS LE SAC !!!

ON EST PRESQUE ARRIVÉS, SOIS PATIENT !

GOUP GOUP

HEM

OH

A HA HA HA HA HA

MADEMOISELLE,

OÙ DOIS-JE VOUS SERVIR LE THÉ ?

MADEMOISELLE ?

DANS MA CHAMBRE. TROIS TASSES, S'IL VOUS PLAÎT

TROIS ?

OUAH !

ET ÇA
QU'EST-CE
QUE C'EST
?

CLIC

UNE
TÉLÉVISION.

JE M'EN
SERS POUR
REGARDER TES
EXPLOITS !

CHALALA

CHALALA

QUEL
BEAU GOSSE
JE SUIS

STOMB

TOC
TOC

ENTREZ
!

VLAN

105

ON DIRAIT QUE TU AS FAIT ÇA TOUTE TA VIE !

LAVER LES VOITURES.

ON VOIT QUE TU AS ÉTÉ POMPISTE UN TEMPS

YUKI.

OH, TSUKI-SHIRO.

IL DÉSHERBAIT

BONJOUR !

ET SAKURA ?

J'AI ENTENDU DIRE QUE CE MATIN C'ÉTAIT LE GRAND NETTOYAGE, ALORS JE T'AI APPORTÉ ÇA !

MERCI !

COUIC   COUIC

ELLE EST CHEZ SON AMIE.

AÏE, AÏE, ELLE RISQUE DE RENCONTRER SA MÈRE... ELLE N'A PAS L'AIR COMMODE. ?

TOMOYO ?

OUP

PAS DE PROBLÈME ...

SONOMI NE FERAIT JAMAIS RIEN QUI NUIRAIT À SAKURA.

FIN DU FLASH-BACK

GROAAR

QUE VOUS ARRIVE-T-IL ?

FLAP FLAP

RIEN.... JE PENSAIS À UN SOUVENIR DÉSAGRÉABLE.

?

DIS, JE PEUX T'APPELER " MA PETITE SAKURA " ?

OUI !

MA PETITE SAKURA, TU ES AU CLUB DES MAJORETTES, PAS VRAI ?

EUH... OUI !

TU ES TRÈS DOUÉE POUR LE SPORT...

TOMOYO ME L'A DIT.

OH, PAS VRAIMENT.

114

ALORS,

VOUS CONNAISSEZ MON PAPA ?

OUI, MALHEUREUSEMENT !

DITES,

MON PAPA IL ÉTAIT COMMENT AVANT ?

PAPA ME PARLE TRÈS SOUVENT DE MA MAMAN,

MAIS IL NE ME DIT JAMAIS RIEN SUR LUI !

JE SAIS QUE PAPA N'A PLUS SES PARENTS, MAIS JE NE SAIS RIEN SUR CEUX DE MAMAN.

EH BIEN, EH BIEN...

10

NAOKO YANAGISAWA

DATE DE NAISSANCE
10 NOVEMBRE

GROUPE SANGUIN
AB

MATIÈRE DE PRÉDILECTION
MATHS

MATIÈRE DÉTESTÉE
ÉDUCATION PHYSIQUE

CLUB
MAJORETTES

COULEUR FAVORITE
VERT EAU

FLEUR PRÉFÉRÉE
BOURGEON D'ARBRE JAPONAIS DIT 'TOBOGGAN DES SINGES'

METS PRÉFÉRÉS
LAMEN (NOUILLES CHINOISES), CRÈME GLACÉE

PLATS DÉTESTÉS
LÉGUMES

SPÉCIALITÉ CULINAIRE
LAMEN

AIMERAIT BIEN
UN LIVRE AMUSANT

NAOKO YANAGISAWA

EN FAIT,
TON PÈRE...

ÉTAIT
IGNOBLE
!

EH
?!

BEAU,
GENTIL, DOUÉ
POUR LA CUISINE
COMME POUR
LE RESTE.

EN CE QUI
CONCERNE
SES DÉFAUTS,
JE PENSE QU'IL
N'EN A PAS.

MAIS SI JE LE
CONSIDÈRE EN TANT
QU'AMOUREUX DE
NADESHIKO, POUR
MOI, IL EST IGNOBLE.

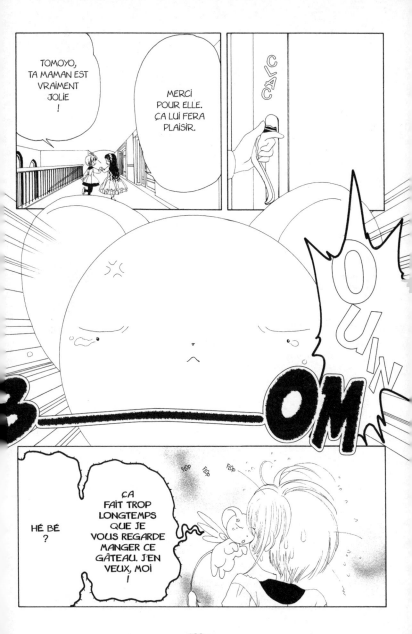

DÉSOLÉE POUR L'ATTENTE ...

VOILÀ TA PART !

POP

YAHOU !

♡

SAUVÉE !

LA GOURMANDISE LE REND TERRIFIANT

J'AI RESSENTI LA PRÉSENCE D'UNE CLOW CARD DANS CETTE PIÈCE !

BOUDIOU, QUE J'ÉTAIS TRISTE TOUT SEUL !

C'EST BIEN TOI, KÉLO ?

WOÉ ?

128

MOI, JE N'AI RIEN VU 2!!!

IL FAUT AVOIR DES POUVOIRS MAGIQUES POUR ÇA

SHIELD, C'EST UNE CARTE DE PROTECTION.

MAIS POURQUOI DANS CE COFFRET ?

PEUT-ÊTRE SAIT-ELLE QUE TOMOYO EST MON AMIE.

NON, CETTE FOIS AUCUN RAPPORT.

SHIELD PROTÈGE LES CHOSES IMPORTANTES, C'EST SON POUVOIR.

LE CARACTÈRE DE SHIELD EST BON, IL NE BLESSERAIT PERSONNE.

APRÈS TOUT, LE CONTENU DE CE COFFRET EST TRÈS IMPORTANT...

COMMENT LA FAIRE REDEVENIR CARTE ?

GRIP

HÉ BÉ, C'EST FASTOCHE !

SAKURA, TU POSSÈDES UNE ÉPÉE QUI PEUT COUPER N'IMPORTE QUOI !

KÉLO JE SUIS PAR ICI

ZIII

JE DOIS COUPER SHIELD AVEC SWORD.

SI TU TRANCHES LE BOUCLIER, LE CONTENU NOUS APPARAÎTRA.

ZIII

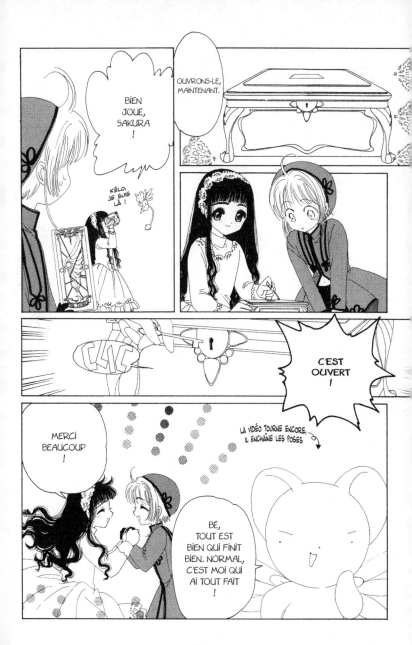

MAIS COMMENT AVEZ VOUS FAIT ?

OH LA LA LA

ON A COUPÉ LE RESSORT DE LA SERRURE.

AH

C'EST POUR CELA QUE LA CLÉ JAILLISSAIT

QUEL BEAU BOUQUET !

C'EST LE BOUQUET DE LA CÉRÉMONIE DE MARIAGE DE NADESHIKO...

HEIN ?

NADESHIKO AIMAIT TELLEMENT LES FLEURS DE CERISIER...

DÉJÀ TOUTE JEUNE, ELLE ME DISAIT "SI JE DONNE NAISSANCE À UNE FILLE, JE L'APPELLERAI SAKURA*"

ET TU ES CETTE SAKURA.

* EN JAPONAIS, SAKURA SIGNIFIE CERISIER.

HOU LA LA, JE SUIS EN RETARD ! C'EST MOI QUI PRÉPARE LE DÎNER, AUJOUR-D'HUI !

OUPS

ET TU ES PLUS MIGNONNE AVEC CES VÊTEMENTS

QU'EST-CE QUE TU PRÉFÈRES COMME ACCOMPA-GNEMENT

EH BIEN

LOOP LOOP

TOMOYO, AIDE-NOUS !

OUI !

IL EST CACHÉ

HA

HOUF

PAS VRAI, ÇA ! J'AI PASSÉ MA JOURNÉE À ME CACHER !

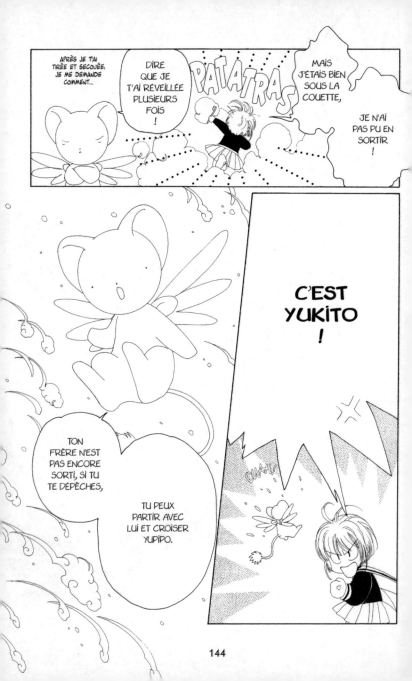

APRÈS JE T'AI TIRÉE ET SECOUÉE, JE ME DEMANDE COMMENT...

DIRE QUE JE T'AI RÉVEILLÉE PLUSIEURS FOIS !

PATATRAS

MAIS J'ÉTAIS BIEN SOUS LA COUETTE,

JE N'AI PAS PU EN SORTIR !

C'EST YUKITO !

OUAH !

TON FRÈRE N'EST PAS ENCORE SORTI, SI TU TE DÉPÊCHES,

TU PEUX PARTIR AVEC LUI ET CROISER YUPIPO.

SI TU NE TE DÉPÊCHES PAS UN PETIT PEU, TU VAS VRAIMENT ÊTRE EN RETARD.

À CE SOIR !

JE DÉBAR-RASSERAI.

BON, JE PARS !

CHÉTAÌT CHRÈS MBON.

TAP TAP TAP TAP TAP

PAT PAT PAT PAT PAT PAT

CHUIS PARTIE !

JE SUIS PARTI.

À CE SOIR !

AH,

MAIS... ATTENDS !

GRAND FRÈRE S'EST ACHETÉ UNE MOTO, ALORS POURQUOI PREND-IL TOUJOURS LE VÉLO ?

IL NE S'EN EST SERVI QU'UNE OU DEUX FOIS POUR ALLER EN COURS.

SANS DOUTE PARCE QUE LA MOTO, C'EST PLUS DANGEREUX ...

TOYA N'EST PAS DOUÉ POUR LA MOTO ?

CLING CLONG CLING

BLA BLA

BLA

TU ES VRAIMENT ARRIVÉE JUSTE À TEMPS.

OUI, J'AI TRAÎNÉ AU LIT, ET IL Y AVAIT DES TRAVAUX SUR LA ROUTE.

JE SAIS !

TU ES PASSÉE PRÈS DU PARC DE L'EMPEREUR PINGOUIN ?

CELA FAIT UN BIEN LONG DÉTOUR !

OUI, MAIS J'AI TROUVÉ UN SANCTUAIRE !

LE SANCTUAIRE MINAZUKI ?

OUI ! POURQUOI TU LE CONNAIS, NAOKO ?

TU N'HABITES PAS PAR LÀ-BAS...

GRR

CES TALISMANS SONT TRÈS PRATIQUES.

BOING

OUAH

LI ! QUAND EST-CE QUE

CLING

CES AMULETTES PROVIENNENT DE LA CHINE ANCIENNE. À L'ORIGINE C'ÉTAIENT DES BILLETS MAGIQUES QU'ON GARDAIT DANS DES SACS, SEMBLE-T-IL.

AH ?

ÇA A L'AIR VRAI CETTE FOIS

ON SAIT PAS ENCORE

LES BILLETS MAGIQUES D'AUTREFOIS ÉTAIENT IMMENSES, CERTAINS MESURAIENT DIX MÈTRES.

ET COMME ON NE POUVAIT PAS LES TRANSPORTER COMME ÇA, ON LES METTAIT DANS UN SAC !

10 m

MAIS S'ILS ÉTAIENT AUSSI GRANDS, ILS RESTAIENT ÉNORMES UNE FOIS PLIÉS.

C'EST DÉJÀ PLUS LOUCHE

AUTO DISC

MAIS POURQUOI ?

PROFESSEUR TSUTSUMI EST EN REPOS.

WOÉ ?

DES EXERCICES EN AUTODISCIPLINE

YOUPI !

QU'EST-CE QUI LUI EST ARRIVÉ ?

JE SUIS INQUIÈTE.

CLING CLONG CLONG CLING

ET ALORS, TU N'AS RÉELLEMENT PAS PU ACHETER TON GRIGRI.

EN PLEIN DEVOIR →

OUI.

C'ÉTAIT FERMÉ.

ET CETTE FEMME...

"À BIENTÔT", M'A-T-ELLE DIT.

HÉ BÉ, ÇA VEUT DIRE QU'ELLE SAIT QU'ELLE TE REVERRA.

QUELLE GENRE DE PERSONNE C'ÉTAIT ?

164

HUUUF

JE SUIS SÛR QUE TON FRÈRE A TOUT DÉCOUVERT.

VLAM

IL A AUSSI LE POUVOIR DE SENTIR LES CHOSES ÉTRANGES.

IL N'EST PAS TRÈS DIFFÉRENT DE TOI.

VOILÀ

MIAM

QUAND IL ÉTAIT PETIT, MON FRÈRE ENTENDAIT OU VOYAIT SOUVENT DES CHOSES SURNATURELLES.

C'EST QUE...

CETTE GELÉE EST DÉLICIEUSE.

OUAH

MIAM MIAM

MAIS LAISSE-MOI MA PART !

ET ELLE EST PLUTÔT PUISSANTE !

ON FERAIT BIEN DE SE MÉFIER.

CELA M'ENNUIERAIT BEAUCOUP...

AH!

JE N'AI MÊME PAS REMARQUÉ QU'ELLE S'ÉTAIT APPROCHÉE AUSSI PRÈS.

UH ?!

PROFESSEUR MINAZUKI !

MOI NON PLUS. COMMENT A-T-ELLE FAIT ?

HUM...

TU T'APPELLES BIEN SHAOLAN LI.

JE SUIS VOTRE NOUVEAU PROFESSEUR DE MATHÉMATIQUES.

CELA M'EMBÊTERAIT QUE TU ÉTUDIES MAL PARCE QUE TU MÉFIES DE MOI...

N'EST-CE PAS, TOMOYO DAÏDOJI ?

HEIN
?

C'EST VRAIMENT UNE JOLIE FEMME...

MAIS IL Y A QUELQUE CHOSE... UNE SENSATION QUI ME DÉSORIENTE
...

KA...
HO
?

YAMAZAKI EST DOUÉ !

IL N'A PAS LE TRAC MÊME POUR UN EXAMEN.

IL EST PLUTÔT HABILE...

MAIS C'EST UN MENTEUR !

PLOP

TON FRÈRE ET LE PROFESSEUR MINAZUKI SE CONNAISSAIENT ?

JE N'EN SAVAIS RIEN.

MAIS C'EST LA PREMIÈRE FOIS QUE JE VOIS MON FRÈRE ÊTRE TROUBLÉ COMME ÇA !

IL A ÉTÉ SURPRIS ?

IL AVAIT SA TÊTE HABITUELLE

SUPER SURPRIS ! IL ÉTAIT BLÊME ...

FAUT ÊTRE SA SŒUR POUR LE VOIR

DIS, LI...

GOUTTE

178

CON CEN TRA TION

DO MI FA

CLAC CLAC

J'AI L'IMPRESSION QU'IL NE FAUT PAS LUI ADRESSER LA PAROLE

RIKA SASAKI

ELLE ÉTAIT JOLIE CETTE MIZUKI.

CLAC

FOUILLE

TU NE VEUX PAS QUE JE T'EN PARLE ?

MIOM MIOM

GRIP

JE FINIS ÇA, ET ET ON PARLE...

GLOP

OH OH

BIEN !

C'EST LÀ !

LE PROFESSEUR MINAZUKI M'A DIT QUE C'ÉTAIT POSSIBLE AUJOURD'HUI, JE VOULAIS VÉRIFIER.

ET PUIS JE VEUX MON TALISMAN !

TAP

DÉJÀ PARUS

YOU'RE UNDER ARREST - VOL. 6
(Kosuke Fujishima)

3X3 EYES - VOL. 11
(Yuzo Takada)

À PARAÎTRE

CARD CAPTOR SAKURA - VOL. 4
(Clamp)

AH! MY GODDESS - VOL. 11
(Kosuke Fujishima)

DRAGON HEAD - VOL. 6
(Mochizuki Minetaro)

SERAPHIC FEATHER - VOL. 5
(Hiroyuki Utatane, Toshiya Takeda)

NOUVELLES ÉDITIONS

Card Captor Sakura - Vol. 1 à 2
Trèfle (Clover) - Vol. 1 à 3
Magic Knight Rayearth - Vol. 1 à 6
(Clamp)

You're Under Arrest - Vol. 1 à 5
Ah! My Goddess - Vol. 1 à 10
(Kosuke Fujishima)

Dragon Head - Vol. 1 à 5
(Mochizuki Minetaro)

3X3 Eyes - Vol. 1 à 10
(Yuzo Takada)

Seraphic Feather - Vol. 1 à 4
(Hiroyuki Utatane,
Toshiya Takeda)

Titre original :
CARD CAPTOR SAKURA, vol. 3
© 1997 CLAMP
All Rights Reserved
First published in Japan in 1997
by Kodansha Ltd., Tokyo
French publication rights
arranged through Kodansha Ltd.
French translation rights : Pika Édition

Traduction et adaptation : Reyda Seddiki
Lettrage : Docteur No
L'édition originale de cet ouvrage
a été publiée dans le sens de lecture
japonais. Les images ont été retournées
pour l'édition française.

© 2000 Pika Édition
ISBN : 2-84599-002-2
Dépôt légal : avril 2000
Imprimé en Belgique par Walleyndruk
Diffusion : Hachette Livre